Directeurs de collection :

Laure Mistral
Philippe Godard

Dans la même collection :

Retrouvez toutes nos parutions sur :
www.lamartinierejeunesse.fr
www.lamartinieregroupe.com

Conception graphique : Elisabeth Ferté
Réalisation : Hasni Alamat

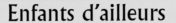

Enfants d'ailleurs

Alexandre Messager

Illustrations

Sophie Duffet

Khanh, Dung et Nghiep vivent au Vietnam

De La Martinière
Jeunesse

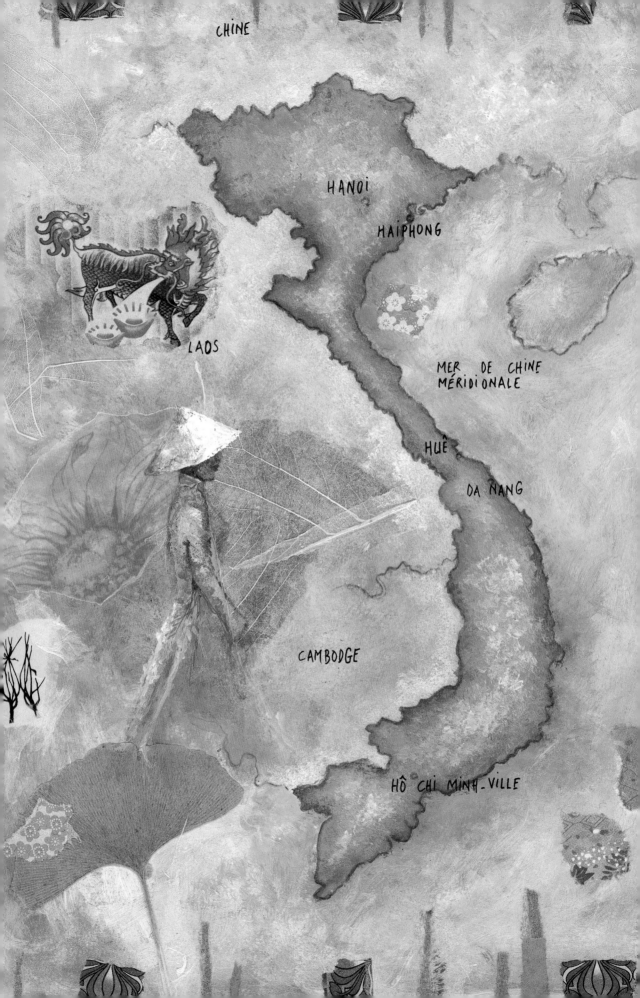

CHINE

HANOI

HAIPHONG

LAOS

MER DE CHINE
MÉRIDIONALE

HUÊ

DA NANG

CAMBODGE

HÔ CHI MINH-VILLE

Voici le Vietnam !

Le Vietnam, situé en Asie du Sud-Est, a la forme d'un grand « S » étiré. Il possède des frontières avec le Laos (1 650 km), le Cambodge (900 km) et la Chine (1 100 km). Les montagnes et les collines occupent les deux tiers du territoire. Le Vietnam est composé de trois grandes régions *(Bô)*: le Bac Bô au nord (ex-Tonkin), le Trung Bô au centre (ex-Annam) et le Nam Bô au sud (ex-Cochinchine).

Superficie : 332 000 km² environ, soit un peu plus de la moitié de la France.

Climat : Situé dans une zone intertropicale, le pays connaît deux grandes saisons : la saison sèche, de novembre à avril, et la saison des pluies, de mai à octobre.

Population : La population était, en 2008, de 86 millions d'habitants (environ 30 % de plus que celle de la France) avec une densité de 261 habitants/km², soit près de deux fois et demie celle de la France.

Peuples et langues : 85 % des Vietnamiens appartiennent à l'ethnie appelée Viêt (ou Kinh). Ceux-ci parlent le vietnamien. Près de 80 minorités ethniques existent ; pour la plupart, elles vivent dans le Nord-Ouest, dans les massifs montagneux à la frontière de la Chine et du Laos ; d'autres sont implantées sur les hauts plateaux du Centre et du Sud.

Religions : Les religions les plus répandues au Vietnam sont le bouddhisme, venu d'Inde, et le confucianisme, venu de Chine. Il existe une minorité catholique importante du fait de la colonisation européenne, française notamment. On rencontre d'autres cultes tels que le caodaïsme, fondé en 1926 par Ngô Van Chieû.

Villes : La métropole la plus importante est, au sud, Hô Chi Minh-Ville (6,3 millions d'habitants). Au centre, les deux villes principales sont Huê (297 000 habitants) et Da Nang (834 000). Au nord, les deux plus grandes villes sont Hanoi, la capitale (2,7 millions d'habitants), et le port de Haiphong (1,9 million).

L'histoire
du pays du dragon

Le Vietnam a presque toujours été en conflit avec la Chine.

En 111 avant J.-C., l'empereur chinois Wudi, de la dynastie Han, s'empara du pays. La domination chinoise dura mille ans, jusqu'à la fondation d'un État indépendant vietnamien par Ngô Quyên, en 939 après J.-C. La fin du règne des Ngô fut marquée par le partage du pays en fiefs tenus par des seigneurs rivaux, avant une nouvelle réunification en 968. Sous les deux grandes dynasties des Ly (1010-1225) et des Tran (1225-1400), le Vietnam resta en guerre avec les Chinois, qui envahirent de nouveau le pays avant d'en être chassés en 1418. À partir de 1773, le pays connut de violents combats entre les seigneurs du Sud et ceux du Nord, et des révoltes paysannes éclatèrent. Le pays se divisa alors en deux entre le Sud et le Nord.

En 1858, une nouvelle ère commença : les Français, alors en pleine expansion coloniale, débarquèrent au Vietnam. Ils établirent à partir de 1865 une première colonie, dans le sud du pays, en Cochinchine. Puis, dans les années 1880, les régions de l'Annam, au centre, et du Tonkin, au nord, passèrent sous leur domination. L'Indochine française regroupait alors le Vietnam, le Laos et le Cambodge. Cette mise sous tutelle du Vietnam entraîna la naissance de mouvements nationalistes et révolutionnaires. En 1930, Hô Chi Minh fonda le Parti communiste indochinois, puis en 1941 le Viêt-minh (« Front de l'indépendance du Vietnam »). Il proclama l'indépendance du pays en 1945. La France refusa de la reconnaître, et cela déboucha sur la « guerre d'Indochine », perdue par les Français en 1954, lors de la bataille de Diên Biên Phu. Les accords de Genève reconnurent l'indépendance du Vietnam, qui devint un pays socialiste.
Cependant, tout le monde n'acceptait pas l'orientation politique de Hô Chi Minh. En 1956, au sud du pays, Ngô Dinh Diêm proclama la république du Vietnam du Sud. Diêm avait le soutien des Américains. À peine sortis de la guerre d'Indochine, les Vietnamiens replongèrent dans

un nouveau conflit, la « guerre du Vietnam », opposant le Nord-Vietnam au Sud-Vietnam et aux Américains.

Les bombardements aériens réguliers sur le Nord-Vietnam commencèrent en 1965.
Les Américains subirent de lourdes pertes, et des accords de cessez-le-feu furent signés à Paris en 1973. Toutefois, la guerre se prolongea jusqu'en 1975. En 1975, une grande offensive des Nord-Vietnamiens contre le Sud aboutit à la chute de Saigon. Le Vietnam fut réunifié en 1976 et prit le nom de république socialiste du Vietnam. Hanoi en devint la capitale.

La fin de cette guerre atroce ne signifia pas pour autant la paix.
Les tensions à la frontière avec le Cambodge, dirigé par les Khmers rouges, s'aggravèrent. Harcelés par les Khmers rouges, que soutenaient les Chinois, les Vietnamiens décidèrent de resserrer leurs liens avec la Russie. Assuré du soutien des Russes, le Vietnam lança le 25 décembre 1978 son armée à l'assaut du Cambodge, qu'il vainquit en trois semaines, et où il installa un gouvernement pro-vietnamien. Les Vietnamiens quittèrent le Cambodge en 1989.

Pendant cette période très troublée, plus de 400 000 Vietnamiens fuirent leur pays,
dont la majorité par la mer dans des conditions très périlleuses. Ils furent surnommés les *boat people* (les « gens en bateau »). En 1986, les dirigeants vietnamiens lancèrent le Doi Moi, la « politique du renouveau », qui permit de transformer l'économie du pays et de sortir du communisme. Aujourd'hui, le Vietnam vit en paix et est l'un des pays les plus dynamiques du Sud-Est asiatique.

Han-kao-tsou.

*L'empereur Liu Bang
de la dynastie Han.*

Khanh, Dung et Nghiep nous invitent au Vietnam

Khanh est un jeune garçon de Hanoi, la capitale du Vietnam. Son père et sa mère sont des artisans laqueurs. Sa grand-mère maternelle est hmong, une ethnie qui vit dans les montagnes au nord du pays, à la frontière chinoise.

Dung vit à Huê, au centre du Vietnam. Huê fut autrefois une cité impériale et, aujourd'hui encore, elle est la capitale culturelle du pays. Grâce à son père, qui est professeur de français au collège, Dung connaît la langue de Molière et veut découvrir la France. Elle est aussi très douée pour la cuisine vietnamienne, très réputée et raffinée.

Nghiep habite Hô Chi Minh-Ville (ex-Saigon), où ses parents ont un petit commerce. Pendant ses vacances, il va dans le delta du Mékong, chez son grand-père qui cultive le riz. Comme la majorité des familles vietnamiennes, Nghiep et ses parents pratiquent le culte des ancêtres.

Enfants à bord d'un cylo-pousse à Hô Chi Minh-Ville.

Khanh habite à Hanoi, la capitale

C'est à Hanoi, au nord du pays, que vit la famille de Khanh, un jeune garçon de 10 ans. Hanoi, que l'on surnomme la « cité du dragon », est la capitale, mais ce n'est pas la plus grande ville vietnamienne. Elle ne compte « que » 2,7 millions d'habitants, bien moins que Hô Chi Minh-Ville, la métropole du Sud. Mais Hanoi a été la première capitale des communistes vietnamiens, et elle est devenue le symbole de la résistance du pays contre l'envahisseur américain. C'est pourquoi elle a été choisie comme capitale du Vietnam réunifié, plutôt que Hô Chi Minh-Ville.

Une ville marquée par le fleuve

Hanoi a été fondée en 1010 par le roi Ly Thai Tô, qui en avait chassé les envahisseurs chinois. Hanoi signifie la « ville au-delà du fleuve ». En effet, la capitale du Vietnam est située sur le delta du fleuve Rouge (Sông Hông). Ce fleuve naît en Chine, et parcourt 1 200 km avant de se jeter dans le golfe du Tonkin. Le nom du fleuve s'explique aisément : il est de couleur rouge, une teinte provenant des limons qu'il charrie sur plusieurs centaines de kilomètres. Le fleuve fait partie intégrante de la vie à Hanoi, et les habitants le respectent et le craignent : il est vital pour l'économie de la capitale, mais il peut aussi causer de gros dégâts quand

Rue animée du vieux Hanoi.

il déborde à cause des typhons (les cyclones de l'océan Pacifique). Pour éviter des crues désastreuses, des digues ont été construites au nord de la ville. Elles permettent de contenir le fleuve, même si elles cèdent parfois sous la pression intense des eaux.

La famille de Khanh habite dans le «vieux quartier» de Hanoi.

On l'appelle ainsi car il date du XVe siècle. Autrefois, chaque rue était spécialisée par type de métier : alimentation, fabriques de tissus et de soie, ébénisterie, poterie… Les Hanoïens disent que ce quartier ressemble à une feuille dont la tige serait la rue Hang Dao (la « rue de la soie »), l'une des plus vieilles artères de Hanoi, et les nervures toutes les ruelles qui en partent.

L'architecture du quartier est très particulière. Ainsi, la maison de Khanh, à l'image de toutes celles de sa rue, est caractérisée par une façade très étroite et deux étages. On dit que les maisons sont en tube, autrement dit tout en longueur. La première pièce est généralement l'atelier, qui donne directement sur la rue. Il est prolongé vers l'arrière par une ou plusieurs petites cours intérieures qui ouvrent sur de nombreux logements. Chez Khanh, l'atelier-boutique, où travaillent ses parents, sert aussi de pièce de réception.

La géomancie, pour bien construire sa maison

La plupart des maisons et des monuments de Hanoi furent édifiés selon les principes de la géomancie, la « divination par la terre ».

Cette technique, fondée sur l'observation de cailloux et d'objets jetés sur une surface, permet notamment de définir comment orienter les constructions afin de ne pas indisposer la Nature et d'être en harmonie avec ses lois. Des palais, des citadelles et des pagodes (qui sont des temples bouddhistes avec des toits élevés, à gradins) sont construits selon ses règles. La géomancie servit même à modeler le terrain, par exemple en élevant des collines artificielles de plusieurs dizaines de mètres de haut, uniquement destinées à abriter les génies des montagnes ! Car eux aussi ont besoin de lieux harmonieux, pour vivre en bonne entente avec les hommes.

Tous les empereurs et rois du Vietnam façonnèrent Hanoi selon les principes essentiels de la géomancie. Malheureusement, à cause des guerres entre les différentes dynasties, les plus beaux édifices furent détruits. L'arrivée des Français au cours du XIXe siècle n'arrangea pas les choses. Ils rasèrent la citadelle de la ville ainsi que la plus ancienne pagode pour construire sur son emplacement une cathédrale. Les colonisateurs français tracèrent une nouvelle ville avec de larges avenues bordées de bâtiments administratifs et de villas sur le style de Deauville et de Neuilly, en France… sans se soucier des lois de la géomancie.

Aujourd'hui, Hanoi s'est encore étendue, et de très nombreux quartiers modernes ont fait leur apparition. Les Vietnamiens eux-mêmes ne respectent plus autant les principes de la géomancie qu'à l'époque des rois…

Les parents de Khanh sont des artisans laqueurs

L a laque est une sorte très particulière de vernis, qui réclame une grande maîtrise pour la préparer et l'appliquer sur toutes sortes d'objets, notamment des meubles.

La famille paternelle de Khanh est réputée à Hanoi car, depuis plusieurs générations, on y est artisan laqueur de père en fils. Khanh lui-même, aîné des trois fils, prendra la suite après sa scolarité

Aujourd'hui, il reste peu d'ateliers de laqueurs traditionnels.

*...euille d'où provient
...a résine de la laque.*

puis un long apprentissage au côté de son père. Aujourd'hui, il ne reste plus beaucoup d'artisans laqueurs qui travaillent de façon traditionnelle. Le père de Khanh, lui, est un expert dans le traitement de la laque.

La laque vietnamienne est une résine qui provient d'un arbre, le *Rhus succedanea*, que les Vietnamiens appellent « l'arbre du *son* » (*son* signifie « laque » en vietnamien). La résine de laque est réputée très difficile au traitement et « capricieuse », car elle se solidifie et sèche instantanément au premier contact de l'eau, du vent ou du soleil. Il faut donc la travailler très vite et réussir son travail du premier coup, sinon l'objet que l'on veut vernir est gâché.

Il y a plus de deux mille ans, sous l'influence chinoise, les Viêt ont appris le traitement de la laque. Au XIᵉ siècle déjà, les ancêtres de Khanh travaillaient pour la dynastie des Ly. À cette époque, la profession de laqueur était hautement considérée dans les palais royaux et féodaux, les maisons communes et les pagodes. Mais le savoir-faire était jalousement gardé : il était destiné à l'usage des seuls membres du clan pour être transmis de père en fils. Les meilleurs experts étaient récompensés et se voyaient conférer des titres honorifiques par le roi.

Cette spécialisation entraîna la formation de guildes d'artisans, de corporations – des groupes d'experts dans ce métier difficile. Certains clans tels que la famille de Khanh étaient réputés dans le traitement de la laque, d'autres se distinguaient dans la dorure ou la réduction du vermillon en poudre (le vermillon est un sel de mercure de couleur rouge). Ils se regroupaient pour vivre et exercer ensemble leur profession dans un quartier distinct. C'est pourquoi aujourd'hui, dans la rue Hang Dao, de part et d'autre de la maison de Khanh, il y a d'autres artisans laqueurs qui travaillent ensemble.

*Le vermillon est une couleur rouge éclatante,
plus ou moins orangée.*

Le père de Khanh s'approvisionne chez des cultivateurs de laque à plusieurs kilomètres de Hanoi, là où son père lui-même, son grand-père et son arrière-grand-père se fournissaient eux aussi.

Récolter la laque demande un grand savoir-faire. Ainsi, les cultivateurs ne peuvent la récolter que tard, après minuit et jusqu'à l'aube, au moment où le soleil n'est pas encore levé, afin d'éviter qu'elle ne sèche dans les récipients où on la recueille. Lorsque le père de Khanh la récupère, il la conserve dans d'énormes récipients en bambou, hermétiquement recouverts de feuilles de papier paraffiné pour la mettre à l'abri de l'air. Ensuite, il range ces récipients de résine dans un lieu bien aéré et obscur. Il les y laisse pendant quelques mois, jusqu'à ce que les différents éléments de la résine se déposent en trois couches principales.

À la surface se trouve la laque de première couche. Elle est très liquide, brun-jaune et limpide. Le père de Khanh la filtre en la laissant reposer jusqu'à ce que les impuretés tombent au fond. Puis il la transpose et la conserve dans des jarres, cette fois en terre cuite ou en céramique. Il la remue avec des bâtonnets en bois ou en bambou pendant des heures, pour chasser la vapeur et toute trace d'eau, qui serait nocive pour la laque.

La partie suivante est la laque de deuxième couche. Elle est plus épaisse et d'une couleur brun-jaune plus foncée que la précédente. Le père de Khanh la conserve dans des cuvettes en fer, et il la remue pendant des heures pour obtenir une laque noire et très brillante, appelée *son then* (« laque noire »).

La dernière couche est très gluante et souple, de couleur brun terne. Elle se raidit en séchant, c'est la laque *hom*.

Une fois la préparation de la laque terminée, le père de Khanh la vend à un autre artisan laqueur, qui va l'appliquer sur toutes sortes d'objets pour les protéger et les embellir : des boîtes en bambou, en bois, d'autres

Un artisan pose une couche de laque sur un monument en bois.

objets en terre cuite ou en cuir, qui seront ensuite vendus au Vietnam ou exportés. Par exemple, les paravents en laque sont très décoratifs et réputés dans le monde entier.

 ## La grand-mère de Khanh est une Hmong

Lorsque Khanh rentre de l'école le soir, c'est toujours sa grand-mère maternelle qui lui prépare un goûter. C'est elle aussi qui s'occupe du dîner tous les jours.

Avant de venir s'installer dans la maison de Khanh, il y a quelques années, elle vivait dans son petit village, dans une zone montagneuse très reculée, au nord de Hanoi. C'est le pays des Hmong, une minorité très indépendante à laquelle appartient la grand-mère de Khanh. Elle est très fière de ses racines.

Les habitations de Hmong sont assez rudimentaires.

Selon différentes légendes, les Hmong habitaient il y a très longtemps des régions couvertes de neige et de glace, vraisemblablement en Sibérie et sur les vastes plateaux de Mongolie. Puis ils migrèrent, comme beaucoup de populations à cette époque. Ils aboutirent dans les plaines des provinces chinoises du Sud-Est, mais refusèrent de se soumettre à la culture de l'empire du Milieu – la Chine. C'est pourquoi les Chinois les surnommèrent les *Miao*, ce qui signifie « sauvages » ou « barbares ». Ce refus de s'adapter aux us et coutumes de la Chine obligea les Hmong à mener de multiples guerres pour défendre leur droit à la différence et à la liberté. À la fin du XVIIIe siècle, ils furent contraints d'émigrer vers le sud, et ils s'installèrent dans les montagnes du Tonkin (Vietnam du Nord), du Laos et de la Thaïlande, loin des plaines déjà habitées par les ethnies majoritaires.

Pendant de nombreuses années et aujourd'hui encore, les Viêt, ethnie majoritaire, ont cherché à les « vietnamiser », c'est-à-dire à les convertir à la culture dominante par tous les moyens, y compris militaires. Mais les Hmong ont toujours résisté et ils continuent de revendiquer leur autonomie, leur indépendance culturelle.

Les coutumes des Hmong

Très souvent, la grand-mère de Khanh évoque les valeurs qui animent le peuple hmong, notamment la très grande solidarité entre les membres d'une même lignée et entre villageois.

Obligée de venir habiter à Hanoi pour se faire soigner, elle est très nostalgique de la vie qu'elle menait dans son village. Khanh n'y est allé qu'une seule fois avec ses parents, pour les funérailles d'un cousin de sa grand-mère. Pendant deux jours, il a ainsi pu assister à de nombreuses danses hmong et a entendu leur musique à base de guimbardes, de tambours de peau et de khènes, une sorte d'orgue ou d'harmonica à bouche, fait en bambou. La danse, exécutée par le musicien lui-même, accompagne les morceaux de musique qui sont censés expliquer à l'âme du défunt le chemin à suivre pour se rendre dans le monde des morts. Le musicien-danseur prend cependant soin de dissimuler le chemin du retour vers le monde des vivants pour dissuader la personne décédée de venir hanter ses descendants. Voilà pourquoi sa danse se caractérise par de nombreux changements de direction, afin de bien brouiller les pistes !

Pendant ce petit séjour, Khanh a découvert la maison de sa grand-mère, qui, comme toutes les maisons hmong, est très rudimentaire. Elle est entièrement construite en matériaux d'origine végétale (bois, bambou, chaume), le sol est en terre battue et il n'y a ni fenêtre, ni cheminée, ni cloison intérieure. Dans le village, il n'y a ni eau courante ni électricité. Pour faire la cuisine, on se sert d'un feu, entretenu à même le sol, et de quelques ustensiles.

Même si elle habite à Hanoi, la grand-mère de Khanh a conservé certaines de ses habitudes. Parfois, elle se met à parler sa propre langue, que Khanh ne comprend pas car elle est très différente du vietnamien. Et, bien qu'elle soit devenue une Hanoïenne, sa grand-mère s'habille toujours selon la tradition hmong. De son village, elle a rapporté beaucoup de vêtements, tous plus colorés les uns que les autres.

Les Hmong confectionnent eux-mêmes leurs vêtements à partir de chanvre (une plante) qu'ils tissent et teignent en indigo, une teinture de couleur bleue obtenue à partir d'une plante, l'indigotier. Ils se distinguent entre eux par leurs costumes et leurs coiffures : il y a des Hmong blancs, des noirs, des verts, des rouges et des bariolés. La grand-mère de Khanh porte très souvent une tenue traditionnelle : une ample jupe plissée, qui descend sous les genoux, un plastron sur le dos, un tablier sur le devant recouvrant la jupe, une ceinture en tissu qui fait plusieurs fois le tour de la taille, nouée dans le dos, une chemise aux longues et larges manches. Dans la maison, elle marche toujours pieds nus mais n'oublie jamais de mettre ses bijoux, parfois plusieurs colliers très grands, des bracelets et des boucles d'oreilles. Ces bijoux artisanaux très simples et très beaux sont fondus à partir de pièces de monnaie.

Jeune fille Hmong en habit traditionnel.

La baie d'Along

Tous les ans, au mois de novembre, Khanh et ses parents vont voir l'oncle Duc, qui est pêcheur à Hôn Gai, une petite ville qui donne sur la baie d'Along (ou Ha Long).

Chaque fois, Khanh vit ce moment avec une excitation intense, car c'est l'occasion de prendre le train et d'aller voir un endroit merveilleux. Ce lieu est l'un des paysages les plus célèbres et les plus beaux du monde. Les touristes y sont très nombreux.

La baie d'Along est un immense archipel de 1 500 km^2 composé d'environ trois mille îles et îlots, creusés de grottes et de criques, inscrit au Patrimoine mondial de l'humanité. Ce qui fait la particularité de la baie, c'est la multitude d'îles et d'îlots en forme de « pain de sucre » qui la parsèment. Ces milliers de rochers émergés couverts de végétation ont parfois des formes irréelles et extraordinaires, qui donnent l'impression que la baie d'Along est un endroit imaginaire. Certaines îles contiennent des grottes qui ont chacune un nom, telles que la « grotte de la Surprise » ou celle surnommée par les Français la « grotte des Merveilles ». D'autres grottes sont des passages menant à des lacs intérieurs. Quelques îles sont occupées par des villages de pêcheurs.

L'oncle Duc, l'un des frères du père de Khanh, possède plusieurs petits bateaux qui partent à la pêche du matin au soir dans la baie d'Along. Ce sont de grandes barques en forme de nacelles, faites de bambou tressé, qui peuvent pénétrer dans les grottes intérieures des îlots. L'entreprise de l'oncle Duc est située dans la petite ville de Hôn Gai, au-delà d'un bras de mer qu'il faut franchir en prenant un bac. Tous les ans, Duc profite de la venue de Khanh pour l'emmener pêcher pendant une journée entière. C'est l'occasion de croiser des milliers de barques, de voir les rivages de la Chine, qui sont très proches, et surtout d'aller dans les grottes. Chaque fois, ils rentrent avec de nombreux poissons dont les plus gros, découpés puis macérés dans du safran, serviront à préparer le *cha ca*, le plat de fête de la région qui est aussi le plat préféré de Khanh.

La baie d'Along est constituée d'un groupe de plus de 3 000 îles et îlots.

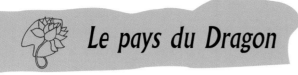

Le pays du Dragon

Le soir après le repas, l'oncle Duc raconte à Khanh l'histoire merveilleuse de la baie d'Along.

En vietnamien, Ha Long signifie le « lieu de la descente du dragon ». Selon la légende, un dragon serait en effet descendu dans la mer pour y domestiquer les courants marins. Mais en se débattant, avec les violents mouvements de sa queue, il aurait entaillé profondément la montagne environnante et aurait fait monter brutalement le niveau de la mer. L'eau se serait alors infiltrée dans les crevasses pour ne laisser apparaître que les sommets les plus élevés.

Le dragon est omniprésent au Vietnam, que ce soit dans l'art, l'architecture, l'ameublement, les vêtements, la littérature ou les contes… Dans toutes les légendes vietnamiennes, on retrouve cet animal mythique ailé et cracheur de feu, doté de pouvoirs surnaturels. C'est ainsi que tous les habitants du Vietnam se disent les descendants du roi dragon Lac Long Quân, venu des eaux, et de la fée Au Co, d'origine terrestre. De cette union naquirent cent œufs, qui donnèrent le jour à cent robustes enfants. Plus tard, le couple se sépara. Cinquante jeunes garçons suivirent le père dragon vers les basses régions côtières et fondèrent la première nation vietnamienne, qui prit comme nom Van Lang. Les cinquante autres suivirent leur mère vers les hautes plaines pour donner naissance plus tard à un royaume très complexe, où cohabitèrent cinquante groupes ou ethnies. C'est ainsi que se constitua le Vietnam, qui permit aux minorités ethniques de vivre ensemble dans ce pays en forme de dragon et de s'unir comme un seul homme pour venir à bout des agresseurs étrangers dans les moments difficiles de leur histoire.

Une autre légende explique bien autrement les merveilles de la baie. Alors que le pays était envahi par des hordes barbares venues du nord, un dragon bienfaiteur les mit en déroute. Ses langues de feu crachées contre les agresseurs se transformèrent au contact de la mer en une

Le dragon, animal mythique, symbole du Vietnam.

multitude d'îlots, écueils aux formes extravagantes. Khanh aime entendre toutes ces légendes, que l'oncle Duc sait si bien raconter.

Aujourd'hui, le dragon figure le mari, le fiancé et plus généralement l'homme. La femme, elle, est représentée par le phénix, un oiseau mythique au plumage magnifique qui vit plusieurs siècles et qui, brûlé, renaît de ses cendres. Ainsi, lorsqu'on veut faire allusion à un mariage, on associe souvent sur une broderie ou sur un panneau sculpté un dragon et un phénix. Enfin, dans le calendrier lunaire vietnamien, le dragon est l'un des douze signes astrologiques, comme en Chine.

Même si les légendes sont très belles, la baie d'Along n'a sans doute pas été façonnée par un dragon ! En réalité, il semble plus probable que ce soit le fameux fleuve Rouge qui, il y a quelques dizaines de milliers d'années, a réussi par la puissance de ses affluents à éroder l'immense plateau calcaire qui caractérise la baie d'Along…

Dung habite à Huê, la cité impériale

Dung a 12 ans. Elle habite à Huê, la capitale culturelle du Vietnam, au centre du pays. Huê a conservé beaucoup de tombeaux royaux, de pagodes, de temples et une citadelle.

Huê était en effet une ville impériale où se sont succédé de nombreuses dynasties, qui ont embelli la cité. Durant la colonisation, du XIXᵉ siècle jusqu'à la guerre d'Indochine, dans les années 1950, ce sont les Français qui contribuèrent à l'architecture en faisant édifier les enceintes qui entourent la ville. Puis ce fut la guerre du Vietnam contre les Américains, de 1965 à 1975. Huê a alors souffert de terribles destructions dues aux bombardements et aux combats. La ville est désormais classée au Patrimoine mondial de l'humanité par l'Unesco, et ses monuments sont protégés.

La famille de Dung a la chance d'habiter à l'intérieur de la citadelle, côté sud. C'est l'une des plus belles parties de la ville. À l'arrière de la maison coule la rivière des Parfums, célèbre cours d'eau qui tient son nom des très nombreuses plantes qui poussaient auparavant sur ses rives. Ces plantes odorantes étaient célèbres dans tout le Vietnam pour leurs vertus médicinales. Dung va régulièrement se promener le long des berges avec ses amies, le plus souvent l'après-midi, quand elle n'a pas école.

Les chapeaux de Huê

Huê a la particularité d'être la capitale des célèbres chapeaux coniques vietnamiens.

Aujourd'hui encore, deux quartiers de la ville sont spécialisés dans leur fabrication, et plus de sept cents familles y consacrent tout leur temps. Cette tradition familiale remonte au XVIᵉ siècle. Les grands-parents maternels de Dung sont spécialisés dans la confection. Comme dans le cas des artisans laquiers de Hanoi, les fabricants de chapeaux coniques de Huê ont chacun leur tâche. Ainsi, il y a ceux qui fournissent les cerceaux en bambou, ceux qui apportent les feuilles de latanier (une sorte de palmier répandue en Asie) et ceux qui confectionnent les chapeaux.

Dans l'atelier des grands-parents de Dung, les différentes personnes se répartissent les tâches. Son grand-père met en forme le chapeau grâce à un cadre en bois sur lequel il dispose les dix-sept cerceaux de bambou,

Atelier où l'on fabrique des chapeaux coniques.

puis les feuilles de latanier. Quand la trame est prête, la grand-mère de Dung coud l'ensemble avec des fils en nylon. Deux employés s'occupent de vernir certains chapeaux avec de la sève de sapin pour les protéger de la pluie, ou en brodent l'intérieur. Parfois, lorsqu'il manque une personne à l'atelier, Dung vient aider ses grands-parents. Mais le travail est dur et il faut être très concentré.

Au Vietnam, on trouve de nombreux modèles de chapeaux différents, toujours coniques. Dung, qui est très coquette, en porte plusieurs, dont un fabriqué avec du papier découpé selon divers motifs insérés entre les feuilles de latanier ; son préféré comporte de courts poèmes écrits à l'intérieur, des poèmes qu'elle aime lire et relire.

La langue vietnamienne

Dung adore lire des poèmes ou apprendre des chansons populaires. Le Vietnam compte de nombreux poètes, romanciers et conteurs, qui s'expriment parfois dans les langues de minorités, le plus souvent en vietnamien.

Le vietnamien s'écrit comme le français : en caractères latins, et non avec des idéogrammes, comme le chinois. C'est l'une des rares langues d'Asie, avec l'indonésien et le malais, à s'écrire en caractères romains. Un Occidental peut donc assez facilement lire le vietnamien.

Cette particularité est due à un Français, Alexandre de Rhodes, qui fut l'un des premiers missionnaires à s'établir au Vietnam vers 1625 pour y diffuser la religion

L'écriture vietnamienne utilise l'alphabet latin.

catholique. À cette époque, le vietnamien s'écrivait en caractères chinois, car l'influence de la culture chinoise était intense. Peu à l'aise avec les idéogrammes, le père de Rhodes transcrivit des dizaines de milliers de mots vietnamiens en caractères romains, et composa ainsi le premier dictionnaire vietnamien-latin. Il inventa le *quôc ngu*, l'alphabet phonétique en caractères romains qu'utilisent aujourd'hui tous les Vietnamiens. Cela provoqua une véritable révolution dans la culture traditionnelle puisque cela montrait une émancipation des Vietnamiens par rapport à la Chine. Aussitôt, les Chinois en charge de l'éducation s'opposèrent à cet alphabet qui symbolisait une véritable libération des Vietnamiens de l'influence chinoise. Mais, avec l'arrivée de la colonisation française, le vietnamien « romanisé » devint obligatoire dans l'enseignement secondaire et supérieur à partir de 1906. Il fut déclaré officiellement « écriture nationale » en 1919.

 ## Le père de Dung est professeur de français

Dung est élève au collège national Quôc Hoc de Huê, et l'un de ses professeurs est son père, qui enseigne le français. Dung travaille souvent à la maison avec lui pour se perfectionner dans cette langue, mais aussi en dictée et en mathématiques.

Aujourd'hui encore, le français reste enseigné au Vietnam, mais son influence est de moins en moins forte. Les Vietnamiens disent que c'est la « langue du souvenir », en référence à la longue période de colonisation.

Les Français arrivèrent au Vietnam en 1858 et en furent chassés un siècle plus tard, en 1954. L'Indochine était la perle de leur empire colonial. La colonisation fut un épisode douloureux pour le Vietnam, qui se trouva divisé en trois : Tonkin, Annam et Cochinchine. Les colons français imposèrent l'usage de leur langue, et de nombreux intellectuels

vietnamiens l'apprirent parfaitement. Mais de nos jours, et comme dans de nombreux pays à travers le monde, l'anglais, langue du commerce et des affaires, est devenue la langue étrangère la plus parlée au Vietnam. Dans deux ans, Dung prendra aussi des cours d'anglais car c'est obligatoire. En attendant, elle veut continuer à se perfectionner en français et envisage d'aller faire un séjour linguistique en France. Elle voudrait aller à Rennes, la ville qui est jumelée avec Huê. Puis, plus tard, si Dung réussit bien au lycée, elle souhaite faire des études de philosophie en France, à la Sorbonne. Mais pour cela, comme le dit son père, il faudra qu'elle maîtrise parfaitement la langue de Molière.

Elle profiterait de son voyage pour faire la connaissance de certains de ses cousins qui habitent Paris et qu'elle n'a jamais rencontrés. Ce sont des enfants de son oncle, le frère de son père, qui a fui le Vietnam en 1974. Le pays était alors en proie à la guerre entre communistes et Américains, ces derniers appuyés par leurs alliés vietnamiens du Sud. Son oncle était l'un de ces combattants anticommunistes, et il préféra fuir plutôt que de risquer la mort ou la prison. Aujourd'hui, ses enfants et lui sont des *Viêt Kieu*, c'est-à-dire des Vietnamiens qui vivent à l'étranger.

L'école est surchargée d'élèves

Au Vietnam, l'école, du primaire au secondaire, est organisée pour l'éducation de tous. Or, les enfants sont très très nombreux ! Du coup, les locaux sont insuffisants. Aussi, il y a souvent deux ou même trois classes par salle, et les classes se succèdent dans la journée. Les élèves n'ont donc école qu'une partie de la journée. Ainsi, selon les jours, Dung va à l'école soit le matin, soit l'après-midi.

Malgré la pauvreté du pays, la tradition des études est très ancrée au Vietnam, et cela depuis longtemps. Autrefois, c'était le mandarinat qui prenait en charge l'éducation des jeunes générations. Le mandarinat était le système administratif impérial, rassemblant l'ensemble des fonctionnaires. Pour devenir mandarin et faire l'école aux enfants, il fallait réussir ses études et passer des concours. Aujourd'hui, ce système a disparu, mais les familles vietnamiennes, dans leur grande majorité, poussent leurs enfants, garçon ou fille, à faire des études et à ne pas s'arrêter trop tôt pour entrer dans la vie active. Le taux d'alphabétisation des Vietnamiens est d'environ 90 %, soit l'un des plus importants parmi les pays que l'on appelle « en développement ». Il existe aussi des écoles privées, mais elles sont réservées aux enfants des familles les plus aisées, car elles sont payantes.

Dung rêve de faire un séjour linguistique en France.

28

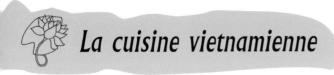

La cuisine vietnamienne

Lorsqu'elle a fini ses devoirs ou qu'elle n'a pas école l'après-midi, Dung aime beaucoup cuisiner.

Au Vietnam, l'aliment de base est le riz. À tel point qu'en vietnamien, prendre son repas se dit *an com*, ce qui signifie littéralement « manger du riz ». Contrairement à une idée reçue, la cuisine vietnamienne est très différente de la cuisine chinoise : elle est beaucoup moins grasse, il y a peu de plats avec des sauces et, surtout, elle comporte beaucoup plus d'herbes et de légumes. Enfin, dans la cuisine vietnamienne, il y a un ingrédient qu'on ajoute dans beaucoup de plats et que l'on ne retrouve nulle part ailleurs : le *nuoc-mâm*, une sauce de couleur brune obtenue à partir de la fermentation de poissons dans la saumure. Le goût est très fin, et Dung, comme tous les Vietnamiens, en assaisonne son riz.

Un bol de phô, la soupe vietnamienne.

Grâce à sa mère et à sa grand-mère, qui cuisinent beaucoup, Dung sait déjà préparer certains plats traditionnels, dont le *phô*, une soupe très populaire que l'on mange à n'importe quelle heure de la journée. C'est une soupe de nouilles mélangées dans un bouillon dans lequel on met des os de poulet, du gingembre, des morceaux de bœuf, des herbes, de la coriandre, de l'anis, des clous de girofle et, bien sûr, du *nuoc-mâm*.

Mais le plat que Dung préfère et que sa grand-mère lui a appris à préparer, c'est le *banh cuon*, les raviolis vietnamiens. Ce plat traditionnel est à base de pâte de riz cuite à la vapeur que l'on farcit avec de la viande de porc hachée et de petits morceaux de champignons noirs. Sans oublier encore une fois le *nuoc-mâm*, cette fois coupé avec de l'eau, du vinaigre, du sucre, de l'ail et du poivre.

La cuisine vietnamienne est très variée. Comme dans beaucoup de pays, il existe des spécialités selon les régions. La grand-mère de Dung est une cuisinière hors pair et elle connaît toutes les recettes, qu'elle perfectionne selon ses propres goûts. Elle sait très bien faire le *bo bay mon*, un plat à base de « bœuf aux sept manières », ce qui signifie sept plats de bœuf différents : soit en faisant frire la viande, soit en la faisant griller, et en ajoutant différents types de légumes selon les plats.

Grâce à sa grand-mère, Dung sait aussi préparer un dessert que l'on ne déguste que lors de la fête du Têt, le nouvel an vietnamien. C'est le *banh chung*, un gâteau salé que l'on trouve partout pendant cette semaine de fête intense. C'est en fait un gâteau de riz gluant, dans lequel on met des pois cassés et des morceaux de porc salés et très poivrés, et qu'on enroule dans des feuilles de bananier, ce qui lui donne une couleur verte. À Huê, il est généralement de forme carrée et, à Hô Chi Minh-Ville, il est rond.

La fête du Têt, le nouvel an vietnamien

La fête du Têt, le nouvel an vietnamien, est la fête la plus importante du Vietnam.

Elle marque la fin d'une année lunaire (et non d'une année solaire, comme dans notre calendrier) et le début d'une nouvelle. Chaque année lunaire – il y en a douze – est représentée par un signe animal : le rat, le buffle, le tigre, le lapin, le dragon, le serpent, le cheval, la chèvre, le singe, le coq, le chien et le cochon. Dung est du signe du tigre. Le cycle dure douze ans, on le reprend donc tous les douze ans.

Le Têt est célébré entre le premier et le septième jour de l'année lunaire, soit entre la dernière semaine de janvier et la troisième semaine de février, selon les années. Le Têt marque également l'arrivée du printemps, d'où son nom, qui signifie en vietnamien la « fête de la première aurore ».

L'astrologie vietnamienne est composée de 12 années lunaires, chacune représentée par un animal.

Pour chaque fête du Têt, qui dure trois jours, les Vietnamiens prennent des vacances afin de se retrouver en famille. À cette occasion, les bureaux sont fermés pendant plusieurs jours et les transports publics fonctionnent au ralenti. Selon la tradition vietnamienne, le Têt est la fête des fêtes, car c'est à la fois le nouvel an et le jour où les âmes des morts reviennent sur terre. Il est donc hors de question de rater ce rendez-vous, et les vivants doivent absolument recevoir les âmes devant l'autel des ancêtres.

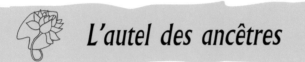 L'autel des ancêtres

Chez Dung, l'autel des ancêtres est installé dans la salle à manger. C'est une petite table sur laquelle est disposée une statuette représentant Bouddha.

Le bouddhisme est la religion la plus répandue au Vietnam. Bouddha vécut en Inde au Ve siècle avant J.-C. Ce prince devenu moine mendiant affirmait que l'on est heureux lorsque l'on n'éprouve plus aucun désir. Une fois cette « extinction des désirs » réalisée, on atteint le *nirvana*. Le bouddhisme s'est répandu vers l'Asie de l'Est, du Vietnam au Japon, en évoluant beaucoup. Désormais, Bouddha est devenu une sorte de dieu, comme dans d'autres religions.

Dung dispose un récipient sur l'autel des ancêtres, pour planter les baguettes d'encens et des photos de ses arrière-grands-parents. Devant se trouvent un encensoir sur pied où la famille de Dung fait brûler du santal, un bois très odorant, ainsi que deux chandeliers sur les côtés pour les bougies. À minuit pile, les âmes des morts arrivent sur terre ; il faut donc que tout soit prêt. Pendant les jours précédents, Dung et sa mère achètent des branches de prunier aux fleurs jaunes pour décorer la maison et, la veille, elles confectionnent le *banh chung*, le fameux dessert qu'elles dégusteront ensemble.

Les pagodes sont construites principalement en bois.

Tous les ans, la famille de Dung se rend à la pagode la plus proche pour brûler de l'encens et apporter des plateaux de friandises. Cette cérémonie est censée marquer le voyage vers le ciel de l'Esprit de la Terre, qui fera un rapport sur les vivants auprès du tout-puissant empereur de Jade, un personnage légendaire fondateur de la civilisation chinoise. Mais, au cours de la fête du Têt, le jour le plus important est celui qui inaugure la nouvelle année. Ainsi, tout ce qui se dit et se fait ce jour-là est censé influencer le reste de l'année à venir. Selon la tradition vietnamienne, la première personne qui entrera dans la maison en ce premier jour de l'année lunaire doit être de préférence vertueuse et fortunée pour apporter la prospérité et le bonheur pour les 365 jours suivants. Ce jour-là, il est également interdit de se quereller, de casser de la vaisselle ou encore de faire un travail manuel, car cela est synonyme d'une future année difficile. Pour cette raison, le repas est préparé la veille, et la famille de Dung en profite pour manger toute la journée, discuter et, surtout, ne pas travailler !

Double page suivante : *Femmes travaillant dans une mine de sel près de la ville de Nha Trang.*

Nghiep habite à Hô Chi Minh-Ville

Nghiep a 12 ans. Il habite à Hô Chi Minh-Ville, la métropole du sud du pays, où ses parents sont commerçants. Ils tiennent une épicerie, dans la rue Dong Khoi, l'une des artères historiques du centre-ville.

Hô Chi Minh-Ville est située à proximité du delta du Mékong, le grand fleuve de l'Asie du Sud-Est. La ville est surnommée le « petit Paris de l'Extrême-Orient ». En effet, pendant la colonisation (1858-1954), alors que la ville s'appelait encore Saigon, les Français firent bâtir des monuments imposants tels que le palais du gouverneur de la Cochinchine, la poste centrale, charpentée de fer par Gustave Eiffel, la cathédrale, ou encore le théâtre municipal et la mairie. Sans parler des villas coloniales, qui existent toujours et donnent au grand centre-ville des airs de métropole française.

La capitale économique du Vietnam

Durant la seconde moitié du XIXᵉ siècle, Saigon était la capitale de l'Indochine, fleuron de l'empire colonial français. En 1954, après la défaite de la France dans la guerre d'Indochine et la division du pays entre Sud et Nord, Saigon devint la capitale de la république du Vietnam – ce que l'on appelait alors le Sud-Vietnam. Puis le pays entra de nouveau dans la tourmente d'un conflit terrible, la « guerre du Vietnam », contre les États-Unis cette fois, de 1965 à 1975. Saigon fut alors le siège du

Des soldats blessés pendant la guerre du Vietnam.

commandement américain. Son activité économique explosa du fait de la présence de centaines de milliers de soldats américains, les GI. Mais les Américains perdirent la guerre, et la conquête de Saigon par les communistes, le 30 avril 1975, marqua la fin du conflit et le passage de tout le Vietnam au communisme. La ville fut débaptisée en 1976 au profit du nom du chef historique des communistes vietnamiens, Hô Chi Minh. Néanmoins, de nombreux Vietnamiens continuent de dire « Saigon ».

Ces différentes guerres qui se sont succédé entre 1945 et 1975 ont durablement divisé le Vietnam en deux grandes parties. Aujourd'hui encore, on retrouve de réelles différences entre le Sud et le Nord. Ainsi, entre Hanoi, où vit Khanh, et Hô Chi Minh-Ville, où réside Nghiep, l'ambiance, l'architecture, l'économie et le mode de vie ne sont pas les mêmes. Contrairement au Nord, où le communisme fut très présent dès le début des années 1950, le Sud a connu l'américanisation de son mode de vie à cause de la guerre. De nos jours, Hô Chi Minh-Ville a une économie beaucoup plus ouverte, des moyens matériels bien plus importants et une ouverture vers le monde occidental plus marquée que Hanoi.

L'ambiance des deux villes est également différente. On dit d'ailleurs que Hô Chi Minh-Ville est folle et indisciplinée, à cause du rythme frénétique de ses habitants, du dynamisme ambiant et du vacarme des milliers de cyclomoteurs qui pétaradent dans les rues. En perpétuel mouvement, la ville est considérée comme la vitrine du développement du Vietnam.

Saigon, dernier enjeu de la guerre du Vietnam

Changer le nom de Saigon en Hô Chi Minh-Ville était surtout un symbole politique. Cela marquait la victoire du communisme face à l'ennemi qui semblait tout-puissant : les États-Unis d'Amérique.

Nghiep sait, par ses parents et surtout ses grands-parents, que la guerre contre les États-Unis fut meurtrière et atroce. Il a même vu, dans un documentaire à la télévision, les images des derniers Vietnamiens partisans des Américains tentant de fuir Saigon grâce aux hélicoptères militaires des GI. Certains d'entre eux ont payé des millions de dollars pour embarquer !

Cette seconde guerre fit de nombreuses victimes. Plus de 7 millions de tonnes de bombes furent larguées, soit trois fois plus que sur toute l'Europe durant la Seconde Guerre mondiale. Les Américains utilisèrent de nombreux produits chimiques à grande échelle, dont l'« agent orange », qui causa des milliers de morts, et des malformations chez les nouveau-nés, et qui ravagea la nature. À l'exception de l'arme nucléaire, toutes les armes ont été utilisées et, de ce point de vue, la guerre du Vietnam fut une

Un avion américain B-52.

guerre d'expérimentation pour les États-Unis. Aujourd'hui encore, dans certaines campagnes, subsistent des « cratères » artificiels dus aux bombes larguées par les B-52, des avions américains surnommés les « forteresses volantes ».

Rue Dong Khoi

La rue Dong Khoi, là où habite Nghiep, est une artère célèbre : pendant la colonisation française, elle s'appelait rue Catinat, du nom d'un navire amiral de la flotte française qui accosta à Saigon au XIXe siècle.

À cette époque, elle était une artère très chic, bordée de belles boutiques, d'hôtels et de cafés, et il y avait même une taverne alsacienne. Pendant la guerre du Vietnam, les Américains l'avaient surnommée « Radio Catinat », car c'était là que d'innombrables rumeurs et informations

*La rue Dong Khoi
anciennement appelée* Catinat.

circulaient, dues en partie à la présence des radios et des télévisions américaines installées dans les hôtels voisins.

C'est après la chute de Saigon qu'elle prit le nom de rue Dong Khoi, ce qui veut dire « rue du soulèvement général », pour célébrer la reconquête définitive du Vietnam par les communistes. Le commerce des parents de Nghiep, une épicerie où l'on trouve de tout et qui fait le bonheur des habitants du quartier, a conservé une touche très française. C'est en fait une ancienne maison coloniale qui a été transformée en boutique.

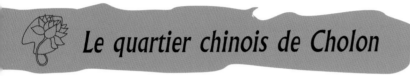

Le quartier chinois de Cholon

Une ou deux fois par semaine, Nghiep accompagne son père dans le quartier de Cholon, que l'on a surnommé « le ventre et la marmite de Saigon ».

C'est en fait un très grand « Chinatown », une ville chinoise dans la ville vietnamienne. Ici vivent plus d'un demi-million de Vietnamiens d'origine chinoise, que l'on appelle les Hoa. Cholon signifie « grand marché », car c'est le cœur de l'activité commerciale de Hô Chi Minh-Ville, de jour comme de nuit. On y trouve aussi bien toutes sortes d'aliments, de produits frais, de conserves que du matériel électroménager, des lecteurs de DVD, des vêtements, des pièces pour voitures… C'est pour cela que le père de Nghiep s'y rend souvent. Il a ses habitudes et s'approvisionne toujours chez les mêmes commerçants, des grossistes spécialisés. Il y achète des sacs de riz, des aliments de base tels que le soja, des fruits, mais aussi tous les produits qu'il vend dans sa boutique : des condiments, des nouilles, de la lessive, des ustensiles de cuisine…

Nghiep aime beaucoup aller à Cholon car l'atmosphère est très particulière : il a l'impression d'être en Chine. D'ailleurs, la plupart des indications et des enseignes sont en caractères chinois. Cholon a été créé à la fin du XVIIIe siècle par des colons chinois, qui se sont alors organisés

Commerçants et passants dans les rues de Cholon.

selon leurs origines : les Chinois originaires de la province de Canton pour le commerce de détail et la finance, les Chinois de la province du Fujian pour l'import-export du riz, les Chinois du Guangdong pour le commerce du thé et du poisson, et les Chinois du Hunan pour les fabriques de cuir et les ateliers de tissage.

Pour Nghiep, Cholon est un peu comme la caverne d'Ali Baba. En plus d'y trouver de tout, il a l'impression d'être au spectacle. Dans les rues, des commerçants interpellent les passants pour leur vendre leur camelote, des joueurs installés sur les trottoirs jouent aux échecs ou au mah-jong (jeu de dominos chinois) au milieu des badauds et des conducteurs de cyclo-pousse (des vélos à trois roues pouvant transporter une ou deux personnes sur un siège situé à l'avant) qui réparent leur attelage ou le nettoient. Les vélos sont le mode de déplacement privilégié des Vietnamiens, surtout dans les villes, même s'il y a de plus en plus de petites motos et de scooters.

Comme la majorité des Vietnamiens, Nghiep pratique le culte des ancêtres, qui constitue la plus vieille pratique religieuse du Vietnam, bien avant l'introduction du bouddhisme, du confucianisme et du catholicisme.

Sur l'autel familial, il dépose les dessins qu'il réalise pour chacun d'eux. Seuls les ancêtres jusqu'à la quatrième génération – jusqu'aux arrière-grands-parents de Nghiep – ont leurs noms inscrits sur des tablettes en bois, avec leur photo ou un dessin les représentant. Au-delà de la quatrième génération, les âmes des disparus sont censées être réincarnées, c'est-à-dire revenir sur terre dans d'autres êtres humains. Il n'est alors plus nécessaire de les prier.

Le culte des ancêtres est très important pour les Vietnamiens.

Pour tous les Vietnamiens, jeunes et vieux, les âmes des ancêtres sont les protectrices de la lignée familiale. C'est à elles que l'on s'adresse en premier pour demander que des vœux soient exaucés. Ainsi, on peut les prier d'accorder la guérison d'une personne de son entourage, ou, comme le fait Nghiep, les supplier d'aider à l'obtention de bons résultats à l'école, ou encore d'apporter le succès dans les affaires. En fait, les Vietnamiens considèrent que les âmes de leurs aïeux survivent après leur mort et qu'elles protègent leurs descendants.

Nghiep et ses parents ont l'habitude de prier et d'honorer leurs ancêtres à l'occasion de l'anniversaire de leur mort. Selon la tradition, ce sont les garçons qui sont chargés de perpétuer le culte ; en cas de descendance uniquement féminine, les filles peuvent s'en charger. Et si un homme meurt sans descendance, si l'encens ne brûle plus sur l'autel, les âmes des disparus sont condamnées à une errance éternelle, faute d'être honorées aux dates anniversaires. Pour une famille, c'est la plus terrible des malédictions.

Il y a deux ans, le grand-père maternel de Nghiep est décédé. À cette occasion, Nghiep et ses parents ont porté un bandeau blanc autour de la tête pendant plusieurs jours, le blanc étant la couleur du deuil au Vietnam. Les cendres du grand-père ont ensuite été réunies dans une urne funéraire puis déposées dans une pagode. À la campagne, il existe d'autres traditions funéraires et, souvent, les défunts sont enterrés dans les rizières, là où ils ont passé une grande partie de leur vie.

Le delta du Mékong

À quelques dizaines de kilomètres de Hô Chi Minh-Ville, près de la frontière du Cambodge, entre la mer de Chine et le golfe de Thaïlande, s'étend une immense plaine, extrêmement fertile, qui est traversée par neuf bras du Mékong, que l'on surnomme Cuu Long, ce qui signifie en vietnamien les « neuf dragons ». Cette région, le delta du Mékong, est le grenier à riz du Vietnam : on y produit de deux à trois récoltes de riz chaque année !

Le delta du Mékong héberge 18 millions d'habitants.

Tous les ans, au mois de décembre, Nghiep et ses deux sœurs vont passer quelques jours de vacances chez leurs grands-parents paternels, qui habitent la ville de My Tho, dans le delta. Capitale de la province de Tien Giang, cette ville est le premier port fluvial du delta et c'est là que transitent les cargos qui font route vers le Cambodge. Décembre est la période de la saison sèche, qui dure jusqu'en avril. Après vient la mousson, et il pleut très fort tous les jours.

Le grand-père de Nghiep possède une petite maison dans la ville, mais il passe tout son temps à cultiver sa rizière. Plus jeune, il travaillait sur le port comme docker, c'est-à-dire manœuvre, puis il a repris la rizière familiale.

Le delta du Mékong est vraiment un univers à part entière. C'est un monde mi-terrien, mi-aquatique, quadrillé par de multiples canaux, parsemé de rizières et de jardins fruitiers, d'îles et de petits villages qui vivent exclusivement au rythme du fleuve. Une fois par jour, la marée pénètre dans le delta et apporte avec elle des tonnes de poissons. Surtout, elle permet de produire beaucoup de riz. Le grand-père de Nghiep fait jusqu'à trois récoltes dans l'année. Grâce au delta du Mékong, le Vietnam est l'un des premiers exportateurs de riz au monde.

Pour labourer et préparer les semis, le grand-père de Nghiep utilise un buffle qu'il partage avec d'autres cultivateurs.

Le buffle reste encore aujourd'hui le moyen de traction le plus répandu dans les campagnes, car il se déplace facilement dans les sols détrempés du fait de ses sabots écartés. Parfois, le grand-père utilise un motoculteur ou un petit tracteur, qu'il loue lorsque le buffle est fatigué, mais c'est très rare.

La culture du riz nécessite une importante main-d'œuvre et, souvent, l'ensemble de la famille travaille dans la rizière. La grand-mère de Nghiep participe également aux différents travaux, ainsi que des cousins qui ont eux aussi une rizière, à proximité. L'entraide est une pratique très courante au Vietnam.

Pour bien pousser, le riz a besoin d'eau régulièrement pendant sa croissance. Dans le delta du Mékong, où le climat est tropical, l'eau est très abondante pendant la saison des pluies, qui dure de mai à octobre. La rizière est alors inondée et le grand-père de Nghiep est souvent obligé d'évacuer l'excédent d'eau à l'aide d'une motopompe et de creuser des canaux. C'est ce qu'on appelle le drainage. Après la saison des pluies, en novembre, il réalise le semis d'hiver-printemps. Pendant deux mois, il entretient les canaux et enlève régulièrement toutes les herbes qui viennent concurrencer les pieds de riz. La première moisson intervient au mois de février et, dès qu'elle est terminée, il replante directement d'autres pieds sans avoir besoin de labourer au préalable. C'est le riz de printemps-été, qu'il irriguera avec une motopompe, utilisée cette fois pour amener l'eau dans la rizière à partir de l'embouchure du delta, puisque ce sera la saison sèche.

Une nouvelle récolte aura lieu en juin, suivie immédiatement d'un nouveau semis, qui donnera le riz d'été-automne et sera récolté en septembre. Pour éviter que cette dernière récolte ne soit inondée par les crues du Mékong à cause de la saison des pluies, les cultivateurs bâtissent des petites digues tous les ans afin que l'eau n'envahisse pas leurs parcelles trop tôt. La culture du riz demande donc beaucoup de main-d'œuvre, et elle profite de l'alternance annuelle des pluies.

Au mois de décembre, lorsque Nghiep et ses sœurs viennent, ils aident leurs grands-parents. Équipés chacun d'une petite pioche, ils nettoient les canaux pour que l'eau s'écoule mieux et aident à enlever les mauvaises herbes. Pour les remercier, chaque fois, leur grand-père les emmène voir les petites îles environnantes qu'il connaît bien. L'année dernière, ils ont découvert l'île du Phénix et celle de la Licorne, et ont sillonné plusieurs bras du fleuve en barque à moteur.

Nghiep est déjà impatient de revenir l'année prochaine car son grand-père lui a promis qu'il pourrait s'occuper du buffle et qu'il lui apprendrait à labourer. C'est un grand honneur pour lui car, si, dans certains pays, le chien est le meilleur ami de l'homme, le buffle est le meilleur compagnon du paysan vietnamien. Ne dit-on pas que le buffle reflète à la fois la douceur de vivre et la résistance inébranlable du peuple vietnamien ?

Le paysan et son buffle dans la rizière.

Crédits photographiques :

Page 5 ©akg-images
Page 7 ©Philippe Body / Hemis / Corbis
Page 10 ©Angelo Cavalli / Age Fotostock / HoaQui / Eyedea
Page 15 ©Remi Benali/Corbis
Page 19 ©DR
Page 24 ©Jeremy Horner /Corbis
Page 33 ©Christophe Boisvieux / Corbis
Page 34-35 ©Paul Panayiotou / Grand Tour / Corbis
Page 38 ©Bettmann / Corbis
Page 42 ©Dugast J.-L. / Hoa-Qui
Page 47 ©Martel Olivier / Hoa-Qui

Achevé d'imprimer en avril 2009 en France

Produit complet POLLINA - L50214

Dépôt légal : juin 2009
ISBN : 978-2-7324-3974-7

Voici les pays visités dans la collection Enfants d'ailleurs

Canada

États-Unis

Guatemala

Maroc

Algérie

Sénégal

Brésil

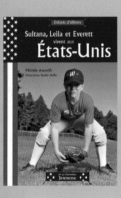
Sultana, Leila et Everett
vivent aux
États-Unis
Michèle Anouilh

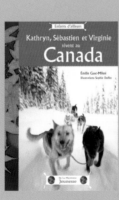
Kathryn, Sébastien et Virginie
vivent au
Canada
Émilie Gaudrilési

João, Flávia et Marcos
vivent au
Brésil
François-Xavier Freland

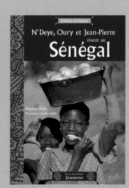
N'Deye, Oury et Jean-Pierre
vivent au
Sénégal
Blanine Diôle

Anna, Kevin et Nomzipo
vivent en
Afrique du Sud
Claire Véllières

Aoki, Hayo et Kenji
vivent au
Japon
Alexandre Messager

Ahmed, Dewi et Wayan
vivent en
Indonésie
Alexandre Messager

Sacha, Andreï et Turar
vivent en
Russie
Maïa Werth

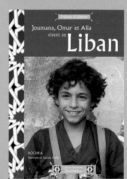
Joumana, Omar et Alia
vivent au
Liban
KOCHKA

Rigoberta, Juan et Marta
vivent au
Guatemala
Philippe Godard